Demain, la révolution!

Valérie Zenatti

Demain,
la révolution !

l'école des loisirs
11, rue de Sèvres, Paris 6e

Du même auteur à *l'école des loisirs*

Collection NEUF

Une addition, des complications
Adieu mes neuf ans
Koloïshmielnik s'en va-t'en guerre

ISBN : 978-2-211-08849-7

© 2004, l'école des loisirs, Paris
Loi n° 49.956 du 16 juillet 1949 sur les publications
destinées à la jeunesse : janvier 2004
Dépôt légal : juin 2008
Imprimé en France par Jean-Lamour à Maxéville

Chapitre 1

Sur le coup, personne n'a vraiment compris ce qu'il s'était passé.

Nous étions en train de remonter en classe, juste après la cantine. Les CE2 étaient devant nous, plutôt bruyants et agités.

Madame Mervent, la directrice, qui est également leur maîtresse, commençait à s'énerver :

— En rang et en silence, s'il vous plaît ! Si je le répète encore une fois, vous serez tous punis !

Elle était tout en haut de l'escalier, et soudain sa queue-de-cheval rousse a disparu. Je l'ai vue rétrécir, presque se fondre parmi ses élèves, et il y a eu ce qu'on appelle, je crois, un «mouvement de foule». Ils se sont tous écartés avec un respect étrange, pour lui laisser le passage en quelque sorte. Mais, le moins qu'on puisse dire, c'est qu'elle ne descendait pas normalement.

Elle tombait.

Et même : elle dégringolait !

Marche par marche − et il y en avait au moins vingt.

Comme une immense poupée qui aurait perdu l'équilibre. Comme un gros paquet que quelqu'un aurait fait rouler d'en haut, pour éviter de le porter.

Elle dévalait l'escalier presque au ralenti, mais personne ne pouvait la retenir, elle a même fait tomber quelques élèves sur son passage.

Ça faisait un drôle de bruit, il me semble que c'était son sac, qu'elle n'avait pas lâché, qui cognait contre les marches :

POUF ! POUF ! POUF !

C'était interminable et terrible.

Il y a eu des cris, quelques éclats de rire (je ne sais pas pourquoi, ça fait toujours rire, que quelqu'un tombe, surtout si c'est un adulte), puis, à la fin de la chute, un grand silence.

Elle avait atterri juste devant moi, les quatre fers en l'air, les yeux fermés.

J'ai regardé le corps, pétrifiée : madame Mervent gisait à mes pieds, toute pâle, dans une position bizarre, exactement comme une tortue renversée sur le dos, les mains crispées sur son sac, et elle ne bougeait pas. C'était la première fois que je voyais une directrice allongée par terre, et il m'a semblé que le monde tournait soudain à l'envers, et que le pire pouvait arriver.

Une voix affolée a murmuré dans ma tête : «Oh non! Ce n'est pas possible! Elle est morte!»

Clara, notre maîtresse, est arrivée en trombe :

— Les enfants, écartez-vous, vite! Les CE2, montez en classe, quelqu'un va venir s'occuper de vous tout de suite. Barbara, rassemble tes camarades! Théodore, appelle la gardienne et attendez-moi sous le préau!

Tout en parlant, elle avait sorti son téléphone portable, puis composé un numéro à deux chiffres. Le 15 ou le 18, je suppose.

– Allô? Bonjour, il nous faudrait une ambulance tout de suite, s'il vous plaît. École Jean-Moulin, 43, rue des Lavandières. Notre directrice vient d'avoir un malaise et de faire une mauvaise chute…

Je n'ai pas entendu la suite, car Barbara, c'est moi, et il a fallu que j'impose une marche arrière à toute la classe. Ce n'était pas facile : tout le monde était sur la pointe des pieds et se tordait le cou pour voir la directrice par terre.

Sylvaine, la gardienne, et quelques maîtresses sont accourues et ont demandé aux élèves de rejoindre leur classe. Elles échangeaient toutes des regards très inquiets.

J'ai réussi à rassembler tout le monde sous le préau et nous nous sommes assis en cercle. Au début, personne ne savait que dire, et puis on s'est mis à parler tous ensemble :

— Mais que s'est-il passé exactement ? a demandé Émilie, qui aime bien tout savoir en détail.

— Quelqu'un l'a bousculée ? a interrogé Paul.

— Pourquoi personne ne l'a retenue ? a demandé Éloïse, toujours prête à accuser quelqu'un.

— Vous pensez qu'on va avoir cours, cet après-midi ? a poursuivi Juliette, avec l'espoir que la réponse soit « non ».

— Peut-être que Clara va accompagner la directrice à l'hôpital ? a murmuré Enza, qui semblait avoir de la peine.

— Ce qui est sûr, c'est qu'on n'aura pas de contrôle en maths. On n'aura pas le temps, les pompiers ne sont même pas arrivés et, de toute façon, on dira à la maîtresse que nous sommes incapables de réfléchir parce que nous sommes traumatisés, a décrété Arthur, qui emploie souvent ce mot, ainsi que d'autres comme «frustré», «déphasé», «complexé», étant donné que sa mère est psychologue et qu'il prétend tout savoir sur les comportements humains.

À cet instant, on a entendu la sirène des pompiers. Sylvaine a fait entrer l'ambulance dans la cour. Tout le monde s'est tu à nouveau et personne n'a ri lorsque le ventre de Juliette s'est mis à gargouiller bruyamment. (Elle ne mange rien à la cantine et son ventre réclame très violemment un repas, à chaque début d'après-midi.)

Sylvaine est venue nous dire qu'il fallait qu'on monte en classe, et que

Clara allait bientôt nous rejoindre. Par l'une des fenêtres du préau, on a vu les pompiers passer avec une civière recouverte d'une sorte de papier aluminium.

– C'est une couverture de survie, a murmuré Paul.

Personne n'a rien ajouté, parce que le mot «survie» nous a impressionnés.

Mais, en classe, la conversation est repartie de plus belle.

Même Victor et Louise, les champions toutes catégories de la timidité, s'y sont mis:

– Vous croyez qu'elle est morte? a demandé Victor, les yeux tout ronds, et j'ai eu envie de l'embrasser parce que c'était la question que je n'osais pas poser.

– Certainement, a répondu Tom.

Toute la classe a poussé un cri hor-rifié.

– Tu dis des bêtises, a dit Paul, d'une voix très calme. Tu n'en sais strictement rien. D'ailleurs, tu n'as rien vu, comme la plupart de ceux qui étaient derrière. Mais Barbara, elle, était juste devant, je crois, a-t-il ajouté en se tournant vers moi. Tu peux peut-être nous donner des précisions?

J'ai rougi, parce que, même si mon cas n'est pas aussi grave que ceux de Victor et de Louise, je suis timide, j'ai du mal à parler devant tout le monde. Et puis, Paul m'impressionne. Il ne res-semble à aucun autre garçon. Il parle presque comme une grande personne, bien qu'il ait un an de moins que nous puisqu'il a sauté le CM1. Il ne hurle jamais comme un sauvage, ne ricane

pas, ne dit jamais : «Vous, les filles…»,
et défend toujours ceux qui sont atta-
qués dans la cour. Je pense qu'il doit
être l'arrière-arrière-arrière-petit-fils de
Robin des Bois, ou quelque chose
comme ça.

Vingt-deux paires d'yeux étaient
tournées vers moi et attendaient que je
parle :

— Alors, Barbara, tu as vu quoi ? s'est
impatientée Juliette.

— Eh bien… Madame Mervent était
en haut de l'escalier, elle s'est fâchée
contre les CE2 et elle est tombée avec
son sac.

Je me suis sentie un peu bête. Ce que
je venais de raconter n'était pas faux,
mais ça ne décrivait pas vraiment ce
que j'avais vu. La chute au ralenti. Le
corps qui était parti en arrière, et elle,

la directrice, qui n'arrivait pas à se retenir à autre chose qu'à son sac.

— Tu es nulle, a déclaré Tom. Il s'est passé quelque chose de super grave et tu en parles comme si quelqu'un était tombé du toboggan et s'était éraflé les genoux !

— Mais non, a protesté Arthur. Elle est en état de choc. Maman m'a expliqué que c'est comme ça que l'on parle des gens qui ont assisté à une catastrophe.

— Est-ce qu'elle respirait ? a demandé Marie, toujours inquiète.

— Il me semble que non, ai-je répondu.

— Elle était de quelle couleur ? a demandé Geoffroy. Violette, bleue ?

— Non, elle était pâle, toute pâle.

Louise a dit d'une petite voix :

— Est-ce qu'il y avait du sang?

Je l'ai rassurée:

— Non, non, il n'y avait pas de sang.

— Ça ne veut rien dire, a de nouveau déclaré Tom. Elle est peut-être morte quand même. Et je dirais même plus: je suis sûr que c'est un assassinat.

— Mais tu es fou! lui a-t-on répondu en chœur. Qui voudrait assassiner la directrice? Elle est si gentille!

— Tu regardes trop la télé et tu te fais des films tout seul, a dit Paul.

— Non, c'est possible. Imaginons qu'un de ses élèves ait eu une mauvaise note et qu'il ait voulu se venger. J'ai vu une série où…

— C'est bien ce que je disais, l'a interrompu Paul, tu regardes trop la télé!

On a été obligés de se taire parce que Clara est entrée à ce moment-là, et

chacun s'est assis très vite à sa place.
Elle nous a dit :

– Ce qui est arrivé à madame la
directrice est très triste. Elle a fait une
mauvaise chute, les pompiers l'ont
emmenée à l'hôpital, où ils vont tout
faire pour la soigner le plus rapidement
possible. Je vous donnerai de ses nouvelles dès que nous en aurons. Pour
aujourd'hui, nous allons annuler le
contrôle qui était prévu et vous allez
continuer à faire votre fiche de lecture…

Elle avait l'air épuisée, et inquiète.
Elle aimait beaucoup madame Mervent, comme tout le monde. C'était
une chouette directrice, avec plein de
bonnes idées pour les fêtes de l'école.
L'an dernier, par exemple, elle avait
organisé une gigantesque chasse au tré-
sor avec des tas d'énigmes à résoudre.

Nous nous sommes plongés dans nos fiches de lecture, mais personne n'arrivait vraiment à se concentrer. Clara est sortie de la classe plusieurs fois, pour téléphoner, je suppose. Elle a gardé le silence jusqu'à ce que la cloche sonne.

*
* *

Le lendemain, nous apprenions que madame Mervent avait un bras cassé, des côtes fêlées et qu'elle était dans le coma, c'est-à-dire qu'elle était vivante mais comme endormie, vingt-quatre heures sur vingt-quatre. Nous lui avons écrit des poèmes et fait des dessins, pour le jour où elle se réveillerait. Et, en effet, une semaine après, Clara nous a annoncé que notre directrice s'était réveillée et qu'elle avait été très contente de voir que nous avions pensé à elle. Elle

nous a dit aussi qu'elle resterait à l'hôpital assez longtemps, et que nous allions
avoir un directeur remplaçant.

À ces mots, j'ignore pourquoi, j'ai
eu un mauvais pressentiment.

Un très mauvais pressentiment.

CHAPITRE 2

Le lundi suivant, on nous a réunis dans le préau pour nous présenter le nouveau directeur. Clara a pris la parole :

– Les enfants, vous savez tous ce qui est arrivé à madame Mervent. Nous pensons très fort à elle, lui souhaitons un prompt rétablissement, mais la vie continue à l'école et vous allez faire connaissance aujourd'hui avec monsieur Geld, qui la remplacera jusqu'à la fin de l'année. Monsieur, soyez le bienvenu à l'école Jean-Moulin, a-t-elle dit en souriant.

Là, on a été quelques-uns à pousser un gros soupir.

Il paraît qu'il ne faut pas juger les gens aux apparences. Ça doit être vrai en général, mais il paraît aussi qu'il y a toujours une exception qui confirme la règle.

Eh bien, le nouveau directeur était une sorte d'exception qui confirmait la règle. En chair et en os. Avec beaucoup de graisse et peu d'os, d'ailleurs. Pour tout dire, ses petits yeux luisants, sa barbe noire, sa cravate bien serrée autour du cou, ses grosses lèvres rouges et ses sourcils froncés ne pouvaient inspirer confiance à personne.

Il a essayé de sourire à Clara, qui venait de lui donner la parole, mais son expression était tout sauf un sourire. On aurait dit plutôt qu'il avait devant

lui une assiette pleine de ragoût d'arai-
gnées et que quelqu'un le forçait à tout
manger sans en laisser une trace.
Lorsqu'il a pris la parole, ça a été pire
encore : sa voix était étranglée comme
s'il était en colère, sans que l'on sache
pourquoi. Personne n'avait rien fait de
mal, même les CP étaient très calmes,
mais c'était ainsi ; et, en plus, il respirait
bruyamment entre chaque phrase.

— Bien. Bonjour à tous. Je suis donc
votre nouveau directeur. Nous allons
nous remettre très vite au travail parce
qu'il me semble qu'il y a eu du relâchement depuis l'accident de madame
Mervent. (En disant ça, il a lancé un
méchant regard en direction des maîtresses.) Une école est faite pour qu'on
y travaille sérieusement et j'y veillerai.
Dans les jours qui viennent, je passerai

parmi vous afin d'évaluer votre niveau. À présent, vous pouvez rejoindre vos classes, nous avons perdu suffisamment de temps comme ça!

Nous avons baissé la tête. Nous venions de comprendre le sens exact du mot «consternation».

En classe, nous avons essayé de dire à Clara à quel point c'était horrible d'avoir hérité d'un directeur pareil, mais elle a posé un doigt sur ses lèvres et a désigné du menton la porte.

La silhouette de monsieur Geld apparaissait en ombre chinoise derrière la vitre.

À la récré, tout le monde ne parlait que de la catastrophe, la deuxième que nous vivions en quelques semaines. Les CM1 se sont joints à nous :

– Il fait peur !

– C'est un monstre !

– Il est laid et méchant !

– On dirait qu'il veut nous manger !

– On dirait qu'il confond les écoles avec les prisons !

– C'est sûr, il déteste les enfants.

– Et les maîtresses aussi !

– Ça va être terrible, il reste encore quatre mois jusqu'à la fin de l'année !

Paul nous a fait signe de nous taire, comme Clara auparavant. Monsieur Geld traversait la cour en nous regardant d'un air furieux, et tout ce qu'on venait de dire semblait plus vrai que vrai.

– Peut-être qu'il pense que la récréation est superflue, a chuchoté Éloïse.

– Sûrement, et il va la supprimer pour qu'on «rattrape le temps perdu», a dit Tom, en imitant parfaitement la voix étranglée du nouveau directeur.

Personne n'a ri, alors que d'habitude, lorsque Tom imite quelqu'un, on est toujours pliés en quatre.

Sauf que là, ce qu'il disait ne ressemblait pas du tout à une plaisanterie.

*
* *

Le lendemain matin, Clara avait un visage chiffonné.

– Elle a dû faire des cauchemars toute la nuit, m'a murmuré Enza, des cauchemars terrifiants où monsieur Geld la poursuivait en criant: «Il y a du relâchement! Il y a du relâchement!»

– Les enfants, aujourd'hui le nouveau directeur va venir visiter notre

classe. Je vous demande d'être particulièrement sages, polis et respectueux,
enfin… de vous conduire avec lui
comme vous le faisiez spontanément
avec madame Mervent. C'est important
si…

Elle voulait certainement ajouter: «Si
nous ne voulons pas avoir d'ennuis»,
mais l'Ogre des Écoles (c'est le surnom
que je lui avais trouvé pendant le petit
déjeuner) est entré à ce moment-là.
Nous nous sommes levés d'un bond, et il
avait l'air si sévère que certains ont failli
se mettre au garde-à-vous. Clara était
toute crispée, mais elle a réussi à sourire:

– Bonjour, monsieur. Nous sommes
ravis de vous accueillir dans notre classe.
Prenez place, je vous en prie, a-t-elle dit
en désignant une chaise près de son
bureau.

On attendait tous qu'il nous dise de nous rasseoir, mais il a scruté la classe de ses petits yeux luisants, en prenant son temps. Il avait l'air d'en penser beaucoup de mal. Il s'est enfin tourné vers Clara :

— Mademoiselle, vous enseignez depuis combien de temps, s'il vous plaît ?

Elle a rougi :

— Quatre ans, monsieur.

Il a pris une voix mielleuse pour dire :

— Eh bien, je suis sûr que vous serez d'accord avec moi si je vous dis qu'il n'y a rien de tel que l'expérience pour réussir à former ces chers enfants. Je tiens donc à vous informer que ces tables rassemblées par deux, ces élèves qui travaillent en petits groupes, cette *convivialité* promue par les méthodes soi-disant modernes, tout cela est désastreux et ne favorise qu'une chose : le bavardage, l'agitation, bref, l'anarchie !

Sa voix n'était plus du tout mielleuse, il grondait comme un bouledogue qui se prépare à l'attaque.

Clara a protesté :

— Permettez-moi d'avoir un avis différent, monsieur le directeur, les élèves travaillent très bien ainsi et…

L'Ogre des Écoles lui a coupé la parole :

— Les élèves, chère mademoiselle, entreront en sixième dans quelques mois. Vous leur faites croire que l'école est un lieu de loisirs, où chacun s'amuse bien avec ses petits camarades en apprenant une chose de temps à autre, quand ça lui chante. Si la barre n'est pas redressée immédiatement, le navire dont vous

avez la responsabilité coulera lamenta-
blement à son arrivée au collège. Je suis
là pour vous aider à réparer vos erreurs.
Commençons par demander à vos chers
élèves de disposer ces tables correcte-
ment, par rangées, et nous examinerons
ensuite leur niveau.

Je me suis mordu les lèvres pour ne
pas crier.

C'est la première fois qu'une chose
pareille m'arrivait. J'avais envie de lui
ordonner d'arrêter de parler ainsi à
Clara, d'arrêter de susurrer «chère mademoiselle» par-ci, «vos chers élèves»
par-là, parce que c'était faux, personne
ne lui était cher, on voyait bien qu'il
nous détestait. Mon cœur battait très
vite, je me sentais capable de me battre,
de mordre presque, alors que je fuis tou-

jours dès qu'il y a une bagarre dans la cour : non seulement je n'y participe pas, mais je n'aime pas regarder, ça me fait très peur.

Mais je n'ai rien fait. Je ne me suis pas battue, je n'ai pas mordu, on s'est exécutés et on a rangé les tables et les chaises comme il le souhaitait. Puis il nous a posé plein de questions, en passant très rapidement de l'orthographe aux mathématiques, de la grammaire à l'histoire. Nous, on répondait la plupart du temps sans se tromper, on est une bonne classe. Je ne suis pas prétentieuse, c'est Clara qui nous dit souvent qu'elle est fière de nous et qu'elle a confiance en nous. Mieux on répondait à ses questions, plus il avait l'air furieux ; on voyait bien qu'il aurait aimé prouver à notre maîtresse que nous étions de mauvais élèves. Alors il s'est acharné sur Victor et Louise, il les avait repérés, c'est écrit sur leur figure qu'ils sont timides ; eux étaient terrorisés, ils sont restés muets. Monsieur Geld a eu un sourire triomphant, puis a dit à Clara :

– Chère mademoiselle, certains de vos élèves sont à la traîne. C'est inadmissible, vous les avez certainement négligés. Venez me voir dans mon bureau pendant la récréation, nous en parlerons et j'essaierai de sauver cette situation lamentable.

La cloche a sonné. Fort heureusement, parce que notre « chère maîtresse » était au bord des larmes.

CHAPITRE 3

En quelques jours, tout a changé dans
l'école. Nous avions l'impression de ne
pas avoir un directeur (ce qui était déjà
insupportable), mais cinquante, car monsieur Geld était partout à la fois. Le
matin, il traquait les retardataires avec la
mine gourmande d'un chat guettant des
oisillons. À la récré, il arpentait la cour
et punissait à tour de bras ceux qui
criaient trop fort, sautaient trop haut,
couraient trop vite. Il m'a même semblé
qu'il punissait aussi ceux qui avaient simplement l'air d'être trop heureux. À

midi, il prenait place dans le réfectoire en croisant les bras sur sa poitrine, prêt à bondir sur celui ou celle qui ferait la moindre petite bêtise, y compris sur les petits qui renversaient leur verre sans faire exprès. Ses yeux étaient comme une mitraillette : il lançait vingt-cinq regards noirs à la seconde. Le réfectoire était devenu très calme, mais son silence avait quelque chose de triste, c'était un silence de cimetière. Même les animatrices, qui nous grondaient normalement lorsque nous faisions trop de bruit, avaient l'air de regretter le temps d'avant.

Parfois, il surgissait en plein milieu des cours, annonçant avec un mauvais sourire qu'il nous faisait juste une petite visite de politesse, et que nous pouvions continuer comme s'il n'était pas là. Sauf que nous, on ne voyait pas trop ce que la politesse venait faire là, et si on avait voulu l'ignorer, on n'aurait pas pu parce que Clara changeait de visage, de voix et, parfois, elle bafouillait. Lui, avait l'air très satisfait : il réussissait chaque jour à prouver un peu plus que Clara était en quelque sorte une… mauvaise élève.

Un soir, au dîner, j'ai essayé d'en parler à mes parents :

— Vous savez, c'est devenu horrible à l'école, le nouveau directeur est très méchant.

— Il vous vole votre goûter et il copie sur vous ? a demandé Papa, qui sait rarement parler sérieusement.

— Arrête ! Ce n'est pas drôle du tout. Il est vraiment… monstrueux.

— Mais qu'est-ce qui te fait dire ça, ma chérie ? a demandé Maman.

– Eh bien, il fait peur à tout le monde, même aux maîtresses. Il a des petits yeux noirs qui donnent des cauchemars, il vient tout le temps en classe pour voir comment on travaille, et puis à la cantine aussi...

– Mais il fait son travail, a répondu Maman. Il prend les choses au sérieux, c'est tout.

– Et puis c'est normal qu'il ne vous plaise pas, a soutenu Papa. Vous adoriez madame Mervent et vous ne pardonnez pas à monsieur Geld d'être son remplaçant, alors vous lui trouvez tous les défauts de la terre. Je suis sûr que, même s'il ressemblait à Leonardo Di Caprio, vous trouveriez le moyen de dire qu'il est moche.

– D'abord, Leonardo Di Caprio n'est pas beau. Et puis, il n'est plus à la mode, il est vieux. Et d'ailleurs… ce n'est pas du tout le problème, que le directeur soit beau ou moche. Mais laissez tomber, vous ne comprenez pas…

Et c'était vrai. Ils ne comprenaient pas du tout. Mes parents font partie de ces gens qui ne pensent que du bien de l'école, quoi qu'il arrive. Ils auraient peut-être réagi si je leur avais dit que le nouveau directeur nous battait, mais ce n'était pas le cas. Sauf que ce n'est pas parce que quelqu'un ne frappe pas qu'il est gentil pour autant. Je n'arrivais pas à leur expliquer les mille petits détails qui rendaient l'air étouffant à l'école. Ça, c'est mon problème en général : je ressens beaucoup de choses, mais je ne sais pas les exprimer.

C'était désespérant : je n'avais pas su convaincre mes parents et il n'y avait aucun secours à attendre d'eux.

*
* *

Quelques jours plus tard, Geoffroy nous a distribué de petites enveloppes pendant la récré.

– Mais tu as fêté ton anniversaire le mois dernier ! s'est étonnée Clotilde.

– Ce n'est pas une invitation à un anniversaire, a-t-il répondu d'une voix grave. Et il a poursuivi sa distribution.

J'ai ouvert l'enveloppe. À l'intérieur, il y avait une feuille entourée d'un cadre noir, sur laquelle était écrit en grosses lettres rouges :

« IL » nous pourrit la vie !
On ne peut plus continuer comme cela !

Si tu penses comme nous, viens demain,
on fait une réunion de crise chez moi,
à 14 heures
(au 28, rue du Renard).

La situation est grave, prends tes précautions :
— Déchire ce papier en quinze morceaux au moins dès que tu l'auras appris par cœur, et jette les morceaux dans des poubelles différentes, en dehors de l'école.
— Ne parle à personne de ce rendez-vous. Dis à tes parents que tu vas à un goûter d'anniversaire.
— Fais attention à ne pas être suivi en venant, surtout par qui tu sais.

Dans l'après-midi, pour la première fois depuis longtemps, nous étions nombreux à sourire en classe.

J'ai sonné chez Geoffroy à quatorze heures précises. C'est lui qui m'a ouvert. Il a jeté un regard derrière moi pour vérifier que je n'avais pas été suivie, puis m'a soufflé :

– C'est bon, entre vite !

J'ai pensé qu'il en faisait un peu trop, mais c'était marrant, on se serait crus dans une réunion de contrebandiers. Il m'a conduite vers sa chambre. Paul, Juliette, Enza et Victor étaient déjà là. Paul a pris la parole :

– Bonjour Barbara, c'est bien que tu sois venue. Nous sommes six, c'est presque le tiers de la classe. On va attendre encore un peu, au cas où il y aurait des retardataires, et puis on commencera la réunion.

Deux coups de sonnette ont retenti. Geoffroy est aussitôt sorti pour revenir avec Tom et Arthur. Ça m'a étonné, que Tom soit là, c'est le copain de personne. Mais, le plus drôle, c'est qu'Arthur est arrivé avec un cadeau pour Geoffroy. Il était tout gêné :

— Ma mère m'a grondé hier soir, en disant que je la prévenais trop tard pour ce goûter d'anniversaire, mais elle a tenu à ce que l'on achète un cadeau.

Geoffroy était perplexe :

— Mais tu m'en as déjà offert un, pour mon véritable anniversaire ! Qu'est-ce que je vais pouvoir en faire, de celui-là ?

— On n'a qu'à le partager, a suggéré Enza.

— Ouvre-le, a dit Juliette, qu'on voie ce que c'est.

– Et ne perdons pas de temps. Le faux anniversaire de Geoffroy et le vrai cadeau d'Arthur, c'est quand même pas le sujet du jour!

Paul avait raison. Geoffroy a vite déchiré le papier cadeau. C'était un jeu de société, et on a décidé que chacun d'entre nous l'aurait à tour de rôle et pourrait le garder une semaine. Puis la réunion a vraiment commencé.

Geoffroy s'est levé, a toussoté. Il semblait très ému tout à coup, alors il s'est tourné vers Juliette et lui a dit:

– Tu ne veux pas commencer, s'il te plaît?

Juliette était ravie. Elle adore parler, chanter, danser, du moment qu'elle a un public. Et là, le public était particulièrement attentif.

– Voilà, a-t-elle commencé. Geoffroy, Paul et moi avons un peu discuté du nouveau directeur. Tout le monde est d'accord, je crois, pour dire que c'est un malade.

Nous avons tous hoché la tête. Certains ont murmuré :

– C'est un tyran !

– Un fou !

– Un monstre !

– Un terroriste ! Il doit être cousin de Ben Laden, c'est sûr, a dit Tom, qu'on n'avait pas trop entendu jusque-là.

J'ai cru que Paul allait réagir en lui répétant qu'il regardait trop la télé, mais il n'a rien dit.

Juliette a poursuivi :

– Nous avons tenté d'en parler avec nos parents, mais ça n'a rien donné. Ils pensent tous que monsieur Geld est tout à fait normal, et que c'est nous qui lui cherchons des misères.

Ça m'a rassurée. Je n'étais pas la seule à avoir un père et une mère qui donnaient l'impression de ne pas parler la même langue que moi.

— Il faut donc qu'on se débrouille, qu'on prenne les choses en mains! s'est exclamée Juliette.

— Oui, mais comment? Même les maîtresses ont peur de lui! a demandé Enza.

— Comment? a répété Juliette, les yeux brillants. Eh bien, on va faire une RÉVOLUTION!

À ce mot, il y a eu un gros brouhaha, tout le monde s'est mis à parler en même temps. Tom a dit qu'il valait mieux dénoncer monsieur Geld à la police, Arthur a suggéré de lui donner l'adresse d'un bon psychologue, sa mère par exemple, il paraît qu'elle s'occupe des gens normaux, mais des fous aussi. Enza, de son côté, a dit qu'on pouvait essayer de lui envoyer des lettres anonymes pour lui faire peur. Juliette et Geoffroy criaient: «Mais non, il faut faire une révolution!» Et moi, je criais avec eux, je trouvais le mot très joli, ça sonnait comme «solution»; dommage qu'on ne l'emploie pas plus souvent. Paul nous écoutait, jugeant certainement qu'il y avait assez de bruit comme ça. Et puis une toute petite voix a demandé:

— Mais ça se fait comment, au juste, une révolution?

On s'est tous tournés vers Victor, qui parle vraiment peu, mais pose souvent les bonnes questions.

Il y a eu un grand silence.

Personne ne savait quoi lui répondre, parce que personne dans la classe n'avait déjà fait de révolution. Je crois même que personne n'avait un grand frère ou une grande sœur qui en aurait fait une.

Paul est enfin intervenu :

– Justement. Nous sommes là pour en discuter. Pour travailler, même. Et si on veut réussir, il faut être efficaces.

Il a sorti un papier de la poche arrière de son jean et l'a déplié :

– Voici les étapes : d'abord, il faut faire un vote. Ceux qui sont pour la révolution resteront, les autres nous quitteront, mais il faudra qu'ils jurent le secret sur ce qui s'est dit ici. Ensuite, il faut se répartir les tâches, se documenter sur les révolutions, je sais qu'il y en a eu plein dans l'Histoire. On prendra la meilleure comme modèle et, s'il n'y en a pas, on créera un nouveau modèle. Troisièmement, il faut qu'on se trouve un nom. Je propose provisoirement le « Club révolutionnaire de l'école Jean-Moulin ». Il sera toujours temps de changer ensuite. Quatrièmement, il faut essayer de recruter de nouveaux membres. Plus nous serons nombreux et mieux ce sera. Il faut que ce soit des garçons et des filles en qui on ait confiance. Si quelqu'un nous dénonce, on est foutus. Voilà, c'est tout, a-t-il conclu en repliant sa feuille. Si vous êtes d'accord, on se donne quelques minutes pour réfléchir et on vote.

Je ne sais pas ce que les autres ont pensé, mais moi, je ressentais du bonheur dans toute ma tête. J'avais l'impression que tout ce qu'avait dit Paul était la réponse au jour où j'avais voulu mordre monsieur Geld, parce que Clara était au bord des larmes. Quelque chose était possible. Une révolution, ça change tout, je crois. Alors j'ai levé la main. Paul a cru que je voulais poser une question, mais j'ai répondu que je voulais juste voter «oui» pour la révolution.

Alors, un à un, ils ont tous levé la main.

Enza.

Juliette.

Victor.

Geoffroy.

Paul.

Arthur.

Tom.

Le Club révolutionnaire de l'école Jean-Moulin venait de naître à l'unanimité.

CHAPITRE 4

Nous sommes restés longtemps chez Geoffroy, et c'était nettement plus chouette qu'un anniversaire. Au lieu de manger plein de bonbons, de courir dans tous les sens et de transpirer comme des footballeurs, on a fait ce qu'il y a de plus beau au monde, je crois : on a imaginé qu'on allait changer nos vies.

Nous nous sommes partagé les rôles : Enza, Juliette et Paul ont été chargés de recruter ceux qui voudraient se joindre à nous. Après quelques hésitations, nous avons décidé de ne pas en parler aux

CP ni aux CE1. Ils risquaient de tout gâcher avant même que tout ait commencé. Arthur a été désigné imprimeur. À vrai dire, nous ne savions pas trop si nous en aurions besoin d'un, mais il avait reçu une jolie imprimerie pour Noël, et avait très envie de s'en servir. Geoffroy s'est proposé comme officier de liaison, c'est-à-dire celui que l'on convoquerait s'il y avait une nouvelle urgente, et qui s'occuperait de la communiquer à tout le monde. Victor, Tom et moi avons choisi de faire des recherches sur les révolutions. Pas forcément pour faire pareil que d'autres, mais pour avoir des idées, et aussi pour éviter certaines erreurs.

Quand nous sous sommes quittés, j'ai eu l'impression que nous étions un peu plus amis qu'avant. Sans doute parce que nous voulions la même chose, tous, très très fort.

En rentrant à la maison, j'ai demandé à Papa la permission de me servir de l'ordinateur. Il a dit : «Oui, oui, bien sûr», d'un air distrait, et il a filé dans la cuisine. Il adore inventer des nouvelles recettes, mélanger le sucré et l'acide, le mou et le croquant, le cru et le cuit. Lorsqu'il met son tablier, il ressemble à un astronaute qui enfile sa combinaison : on sait qu'il va partir très loin, dans un endroit où nous ne pouvons pas aller.

Ça tombait très bien pour moi, ses envies de cuisine. Il allait être tellement absorbé par le choix des ingrédients, leur pesée et leur cuisson qu'il oublierait de me dire après une demi-heure d'aller me reposer «parce que, les

écrans, c'est bien beau, mais ça abîme
les yeux».

J'ai choisi un moteur de recherche
et j'ai tapé le mot «révolution».

Au bout de quelques secondes, la
réponse s'est affichée. Enfin, quand je
dis «la réponse», c'est une façon de parler. Il y avait toute une série de sites
indiqués, avec au-dessus cette phrase
incroyable :

*« Voici les 523 684 résultats correspon-
dant à votre recherche. »*

J'ai fermé les yeux, les ai rouverts,
mais le chiffre ne bougeait pas. 523 684,
pas un de plus, ni de moins.

Il y avait donc eu tant de personnes
qui avaient souhaité changer le monde ?
Tant de gens qui avaient souffert et
avaient choisi de dire «stop» ?

J'ai soupiré, puis cliqué sur le premier site qui traitait de la Révolution française. J'en avais déjà entendu parler, à cause du 14 juillet et de la prise de la Bastille. Au moins, pour le début, je serai en terrain connu.

Pendant une semaine, nous avons continué à aller à l'école comme si de rien n'était, mais, à la récré et le soir, nous agissions secrètement pour le recrutement et la documentation. Monsieur Geld nous regardait toujours comme si nous avions commis une faute terrible qu'il fallait payer, payer, payer... Clara semblait se sentir de plus en plus mal, elle ne souriait quasiment plus, elle sursautait au moindre bruit. Enza avait noté qu'elle flottait dans son pantalon.

— Donc, ça veut dire qu'elle a maigri. Donc, ça veut dire qu'elle ne mange pas. Donc, ça veut dire qu'elle est triste.

– Elle fait une dépression, a chuchoté Arthur, juste derrière nous. Je suis sûr qu'elle ne dort pas beaucoup, non plus. Et qu'elle pleure pour un oui ou pour un non.

– Donc, a repris Enza…

Et là, c'est parti tout seul. JAMAIS je n'avais parlé comme ça à quelqu'un de ma vie :

– Écoute, Enza, tu me fatigues avec tes «donc» à chaque début de phrase. Essaie d'en gommer quelques-uns et tu verras : tes phrases diront exactement la même chose, mais en moins lourd.

Elle a levé les sourcils, gonflé les joues et sifflé avec admiration :

– Eh bien, dis donc, toi ! C'est la révolution qui te donne des ailes ? Bientôt, tu seras capable d'aller dire à monsieur Geld que tu l'as surnommé l'Ogre des Écoles, en le regardant droit dans les yeux, sans bégayer ni rougir. Bravo!

J'ai posé un doigt sur mes lèvres en fronçant les sourcils. Elle avait un peu élevé la voix et j'avais peur que quelqu'un l'entende. Mais, au fond de moi, j'étais toute rose de bonheur, parce que ce qu'elle avait dit m'avait fait plaisir, et que j'étais certaine que, grâce à nous, la dépression de Clara n'allait plus durer très longtemps.

*
* *

Le mardi suivant, Arthur nous a distribué des petites feuilles pliées en quatre. Il était très content parce que «les choses avançaient», comme il me l'avait murmuré d'un air mystérieux, et aussi parce qu'il s'était servi de son imprimante.

J'ai déplié la feuille :

RÉUNION GÉNÉRALE DEMAIN, À 15 HEURES,
CHEZ JULIETTE.
(54, rue du 8-Mai-1945.
Escalier à droite, troisième étage,
porte gauche.)

Que chacun prépare un résumé de la mission qui lui a été confiée.

Nous aurons à prendre des décisions importantes et la réunion générale risque de durer longtemps. N'hésitez pas à apporter du chocolat, et même des bonbons.

Et comme toujours, soyez discrets et prudents.

Geoffroy, officier de liaison du CRDEJM
(imprimé par Arthur)

J'ai demandé à Geoffroy pourquoi il avait écrit «*Réunion générale*». Réunion pouvait suffire, non?

— Non, a-t-il répondu. Générale, ça fait quand même beaucoup plus sérieux, tu vois.

Il avait raison, la révolution est un sujet sérieux, même si on mange des chocolats et des bonbons pendant qu'on l'imagine.

CHAPITRE 5

Nous étions de nouveau tous les huit, installés, cette fois, dans la chambre de Juliette. Paul a pris la parole :

– Voici ce que l'on appelle «l'ordre du jour» : Barbara, Victor et Tom vont nous parler de leurs recherches. Ensuite, nous vous donnerons la liste du recrutement. Si Arthur peut l'imprimer, ça sera parfait...

(Je suis sûre que Paul a dit ça pour faire plaisir à Arthur, dont les yeux étaient devenus tout brillants. J'adore les garçons qui sont gentils, comme ça, sans rien demander en échange. J'ai pensé que Paul avait les plus beaux cheveux de la terre, châtains et bouclés, et aussi les plus beaux yeux, qui souriaient même lorsqu'il ne souriait pas, et je me suis mordu les lèvres pour ne pas penser à ça, et pour me concentrer sur ce qu'il disait.)

– ... il va falloir décider aujourd'hui de notre plan, au moins dans les grandes lignes. On tâchera aussi de fixer une date. Barbara, tu veux bien commencer par nous dire ce que tu as trouvé, s'il te plaît ? Victor et Tom peuvent ajouter des informations, bien sûr, a-t-il dit en se tournant vers moi.

J'ai respiré un bon coup :

– Alors voilà, j'ai tapé le mot «révolution» sur Internet. Vous ne devinerez jamais le nombre de réponses que j'ai

On parle de révolution pour désigner le temps que met un astre à parcourir son orbite, pour décrire la rotation complète d'un corps mobile sur son axe. Ça décrit aussi, bien entendu, un profond changement dans le monde, comme la révolution industrielle dont parlait Barbara, ou, il y a bien longtemps, l'âge du fer : vous ne pouvez pas imaginer à quel point ça a changé la vie des hommes, de pouvoir travailler les métaux. Ils ont créé des armes, des instruments pour travailler la terre, d'autres pour construire des maisons solides… Et puis il y a aussi les grandes révolutions historiques, celles au cours desquelles le peuple s'est révolté contre le roi, le tsar (c'est le nom qu'on donne aux empereurs russes), les riches, ceux qui voulaient tout garder pour eux et ne rien donner aux autres, ceux qui pensaient que les hommes ne sont pas égaux: la Révolution française et la révolution russe de 1917.

Un silence incroyable a envahi la pièce. Nous étions tous tournés vers Victor, qui avait expliqué tout ça comme s'il était professeur d'histoire, et qu'il avait lu des milliers de livres sur les révolutions, en les comprenant tous. Victor, le roi des timides, qui rougissait déjà, bouleversé de nous voir impressionnés. Même Paul, qui devait connaître le sujet, avait l'air admiratif.

– Mais où es-tu allé chercher tout ça? a demandé Tom, tellement étonné qu'il ressemblait à un énorme point d'interrogation.

– Le dictionnaire. Les encyclopédies. Il y a tout dedans, et c'est beaucoup plus sûr qu'Internet. Aucun risque d'y croiser des shampoings.

– Félicitations, Victor, a dit Enza. On se sent beaucoup plus intelligents tout à coup, grâce à toi, ton dictionnaire et tes encyclopédies!

J'étais un peu vexée que plus personne ne s'intéresse à mes 523 684 réponses. Moi aussi, j'avais trouvé des détails sur les révolutions historiques, comme il disait. J'ai repris la parole:

– Quand on regarde de près la Révolution française et la révolution russe, on s'aperçoit que, dans les deux cas, le peuple estimait qu'il souffrait trop, et que c'était injuste.

– C'est exactement notre cas! s'est exclamée Juliette. Monsieur Geld nous fait souffrir, et fait souffrir les maîtresses. C'est parfaitement injuste.

– Pour rétablir la justice, il faut se débarrasser des tyrans, a dit Tom, plutôt silencieux jusque-là. Et si j'ai bien compris ce que m'a dit mon père, ça se fait toujours dans le sang.

Arthur, Enza et Juliette ont poussé des cris horrifiés.

– Toi, y'a que les armes qui t'intéressent, a grogné Arthur en direction de Tom.

– Non, pour une fois il a raison, ai-je rétorqué. Réfléchissez un peu : les tyrans, qu'on appelle aussi les dictateurs, d'après le site « combatpourlaliberte.com », n'acceptent jamais de partir comme ça. Ils aiment trop le pouvoir. Ce n'est pas avec une petite manifestation ou deux qu'on les chasse. D'ailleurs, les Français ont tué le roi, en 1791. Ils lui ont coupé la tête !

— Ils ont aussi guillotiné la reine, a ajouté Paul.

Enza était médusée :

— Ils ont coupé la tête d'une femme ?

— Oui, et les Russes ont fusillé le tsar et la tsarine ! a poursuivi Victor. Et même leurs enfants, je crois.

Nous nous sommes regardés, perplexes.

— On ne va quand même pas tuer monsieur Geld, ai-je murmuré. Personne ne veut qu'il meure. Il faudrait juste qu'il change, ce qui paraît impossible.

— Alors il faut qu'il parte, a suggéré Paul.

— À part tuer le roi, ou le tsar, ça se passait comment, exactement, les révolutions ? a demandé Juliette.

— Mon grand-père m'a raconté. Il a participé à une révolution, a dit Paul.

– QUOI?! Il n'était quand même pas né en 1789?

– Ni même en 1917?

– Non, il a fait une autre révolution. Elle s'appelle Mai 68.

– Ah oui, je sais! me suis-je écriée. J'ai lu quelque chose là-dessus sur «les coquelicotsdemai.fr». Ils disaient qu'en 1968 les jeunes, et même les gens en général, ont voulu plus de liberté, plus de vacances, plus d'égalité aussi. Ils se sont mis en grève pendant longtemps, et ils ont fait plein de manifestations, tous les jours. Ils se sont battus contre les policiers, mais ils n'ont pas tué le président de la République.

– Ni même le Premier ministre?

– Non, même pas. Y'a pas eu de morts.

– Et, au fait, ils ont réussi à obtenir

ce qu'ils voulaient, les révolutionnaires dont vous parlez?

Ça, c'était la question-piège, posée par Juliette.

– Oui, non, enfin, ça dépend… a bredouillé Victor.

– Je ne comprends rien à ce que tu dis, a souri Enza. C'est oui ou c'est non?

Paul est venu au secours de Victor:

– C'est compliqué, de décider si les révolutions ont vraiment réussi. Parfois des périodes très dures suivent la révolution. En France, il y a eu quelques années, appelées «la Terreur», où les révolutionnaires ont tué beaucoup de gens. En Russie aussi. Et l'égalité pour tous, la justice, n'ont jamais été tout à fait appliquées. Pourtant, je ne pense pas qu'on puisse dire que les révolutionnaires ont perdu. Ils ont fait avancer le monde, l'ont rendu meilleur, ou un petit peu moins injuste, en tout cas. C'est ce que l'on veut tous ici, je crois.

– Ça ressemble à de la politique, ce que tu nous racontes là, a murmuré Arthur en fronçant les sourcils.

– Politique vient d'un mot grec qui voulait dire «ville», a dit Victor. La politique, c'est ce qui organise la vie de ceux qui vivent dans une ville. Nous sommes tous concernés.

– Et ceux qui vivent à la campagne, on en fait quoi? a demandé Enza, moqueuse.

Victor a haussé les épaules:

– Ils sont concernés aussi, évidemment!

J'ai pensé que, depuis quatre ans que je connaissais Victor, il n'avait jamais autant parlé que cet après-midi. Il était en train de changer. Et il n'était pas le seul, pour tout dire.

— Eh bien, si notre révolution réussit, ai-je dit à Victor joyeusement, je promets de t'acheter un gros dictionnaire français-grec !

— Bon, revenons à nos moutons, a proposé Juliette. Je récapitule : en gros, nous allons devoir organiser une grève et des manifestations.

— Oui, et il faut aussi des chansons, a dit Tom.

Enza lui a répondu en pinçant la bouche :

— C'est pas une boum, idiot, c'est une révolution !

Tom ne s'est pas démonté, alors que, d'habitude, il se fâche très vite :

– Ma grand-mère aussi a fait Mai 68. Elle m'a dit que tous les groupes révolutionnaires avaient des chansons, un peu comme des hymnes, je crois. Des chansons qui donnent encore plus envie d'y croire. Elle m'a prêté un disque. Si vous voulez, je vous le ferai écouter la prochaine fois.

– D'accord. De quoi a-t-on besoin, à part des chansons? a demandé Juliette, qui me rappelait soudain Maman, lorsqu'on part en vacances.

– De la colle. Des ciseaux. De gros feutres. Des cartons et des draps, a énoncé Victor.

– Tu veux faire des déguisements? s'est étonné Arthur.

– Non, c'est pour les banderoles. Il en faut, avec des slogans, pour expliquer ce que l'on veut…

— ... et ce que l'on ne veut pas aussi, a poursuivi Paul.

— Pour ce qui est du recrutement, a repris Juliette, nous avons ici la liste des 124 élèves qui sont d'accord pour se révolter avec nous contre monsieur Geld. C'est presque tous les élèves de l'école, à part les CP, les CE1, les cafteurs, les peureux et les gros fayots.

— Ouah, c'est du beau travail! a sifflé Arthur.

— Oui, c'est pas mal, a répondu Paul modestement. Au sujet de la date, j'ai appris par ma mère, qui est déléguée des parents d'élèves, que l'inspecteur d'académie allait venir visiter notre école le mois prochain. Je crois que ce sera le moment d'agir. Ça nous donnera le temps de mettre au point notre plan et d'informer tout le monde. Il faut savoir que nous risquons gros : soit nous réussissons, monsieur Geld s'en va et la vie redevient normale à l'école, soit nous échouons et nous sommes tous punis.

– Quel genre de punition ? s'est enquis Tom.

– Je suppose qu'on devra faire des travaux forcés à l'école pendant les vacances, a répondu Juliette.

Nous sommes restés songeurs à l'idée de passer l'été à l'école.

– Il faut quand même tenter le tout pour le tout, a dit Victor. Vous êtes d'accord ?

La totalité des membres fondateurs du Club révolutionnaire de l'école Jean-Moulin a levé la main.

– *Viva la revolución !* a crié Victor.

– C'est en latin ou en grec ? a demandé Enza.

CHAPITRE 6

Les semaines qui ont suivi ont été très intenses. Chacun des membres fondateurs du CRDEJM a été chargé de diriger une dizaine d'élèves. Nous ne pouvions, bien sûr, absolument pas nous réunir à cent trente chez quelqu'un. Alors on se tenait au courant régulièrement tous les huit et on organisait des réunions avec notre groupe. Ça nous prenait un temps fou et les parents ont commencé à se poser des questions sur le nombre de coups de téléphone et de goûters, qui avaient augmenté d'environ mille pour cent en un mois. Antonin, un CM1, a suggéré de dire que nous préparions en secret une grande fête de fin d'année, en l'honneur de madame Mervent, qui était en convalescence et pourrait venir nous voir à ce moment-là. Les parents ont trouvé l'idée « généreuse », et ils se sont dépêchés de penser à autre chose. C'est dans leur nature, de ne pas se poser trop de questions.

Nous, on se posait cent questions par heure, en moyenne. Comment la faire, exactement, cette révolution ? Quels slogans mettre sur les banderoles ? Quelles chansons choisir ? Est-ce que les élèves qui s'étaient joints à nous avaient vraiment compris le sens de ce qu'on voulait faire ? Est-ce qu'ils n'allaient pas transformer ce jour en une grande bagarre, une immense rigolade, bref, en un échec qui nous ridiculiserait et nous ferait mal? Est-ce qu'il fallait mettre une tenue spéciale pour faire la révolution? Est-ce qu'on pouvait en parler à Clara, juste un tout petit peu, pour qu'elle ait les yeux moins rouges, pour qu'elle ait l'air moins fatiguée, pour qu'elle retrouve son vrai sourire? (C'est moi qui avais posé cette question, lors d'une réunion des membres fondateurs. Paul avait répondu gentiment mais très fermement que la réponse était non. «N'importe quel adulte essaiera de nous faire renoncer, et s'il n'y arrive pas, il nous dénoncera, avait-il dit. Je sais que ça te fait de la peine, Barbara, mais bientôt, grâce à nous, Clara et toutes les maîtresses seront très heureuses. C'est à ça qu'il faut penser.» Moi, je pensais que j'étais en train de tomber amoureuse de lui, et que c'était triste parce qu'on allait bientôt entrer en 6ᵉ, et lui irait dans un collège spécial, où l'on fait de la musique. J'ai eu les larmes aux yeux. À son regard désolé, j'ai compris qu'il croyait que c'était à cause de sa réponse.)

Enfin, après plusieurs jours de réunions, de discussions, d'excitation et de fatigue, nous nous sommes mis d'accord sur tous les détails. Arthur a imprimé le tout en cent trente exemplaires, ce qui donnait ceci :

La révolution de l'école Jean-Moulin
(Document top secret)
Le deux mai prochain sera un jour de Gloire.
Enfin, nous pourrons nous débarrasser du tyran !

À la première récré (celle de dix heures), nous nous révolterons.

Au signal, qui sera un coup de sifflet de Paul, nous déploierons nos banderoles et nous chanterons notre hymne (sur l'air de Marlbrough s'en va-t'en guerre) :

« Monsieur Geld doit partir

Mironton mironton mirontaine

Monsieur Geld doit partir

Il nous fait trop souffrir (*bis*)

Il déteste les maîtresses (…)

et nous déteste aussi ! (*bis*)

Il fait pleurer tout l'monde (…)

et ça lui fait plaisir ! (*bis*)

Nous faisons cette révolution (…)

Pour que justice soit faite ! (*bis*) »

Juliette fera ensuite un discours avec le porte-voix que Nathan a piqué à son frère, chef scout.

Nous nous allongerons par terre et nous refuserons de bouger tant qu'une décision positive ne sera pas prise par l'inspecteur.

Rappelez-vous : ni violence, ni chahut!

Viva la revolución!

Lorsque j'ai eu le papier entre les mains, je me suis mise à trembler. Nous étions le 21 avril.

Le 1ᵉʳ mai est un jour férié, c'est la fête du Travail, mais les gens ne travaillent pas, justement. Pour la première fois, je crois, j'ai regardé les défilés aux informations. Un monsieur a dit à la journaliste : «Je suis là pour qu'on me respecte, même si je ne gagne que mille euros par mois. Depuis des siècles, des hommes et des femmes se battent pour être respectés, pour que chacun puisse vivre comme un être humain. C'est un combat qui ne doit jamais cesser.» Je me suis pincée, parce que j'ai reconnu le papa de Paul.

Je crois que jamais, de toute ma vie, je n'ai compté les heures qui me séparaient de l'école avec autant d'impatience.

*
* *

Le 2 mai 2003, à huit heures trente du matin, j'ai cru que j'allais m'évanouir.

JULIETTE ÉTAIT ABSENTE, ET C'EST ELLE QUI DEVAIT PRONONCER LE GRAND DISCOURS! En plus, c'est elle qui l'avait écrit, avec notre aide certes, mais personne n'avait de double.

On s'est tous regardés, aussi consternés que le jour où monsieur Geld
était entré dans nos vies.

J'ai vu Paul griffonner un mot très
vite, et le faire passer à son voisin. En
trente secondes, le mot était sur ma
table. Je l'ai déplié lentement. Toute la
classe avait les yeux fixés sur moi. Fort
heureusement, Clara était en train
d'écrire la date au tableau.

« Barbara, c'est TOI qui vas dire le
discours. Nous n'avons pas le temps de
préparer quelqu'un d'autre à ça. Tu as
tout suivi depuis le début et je SAIS que
tu y arriveras. Fais-le, s'il te plaît. Paul. »

J'ai fait non, non, non, avec la tête,
en le suppliant du regard de trouver
quelqu'un d'autre ou de prononcer le
discours lui-même. Il a secoué la tête
pour dire non, lui aussi, et il m'a souri

longuement. J'ai pensé à son père, que j'avais vu la veille à la télé, j'ai respiré un grand coup et j'ai arrondi mes lèvres pour signifier « oui ».

Clara s'est retournée à ce moment-là :

— Ah oui, les enfants ! Madame Moreau a téléphoné ce matin pour dire que Juliette avait la varicelle. Elle a une forte fièvre. J'espère que la plupart d'entre vous l'ont eue... Est-ce que quelqu'un pourra lui apporter les cours à la maison ?

Nous avons tous levé le doigt, sans exception.

— Eh bien, quelle classe solidaire ! Je suis fière de vous. Disons que chacun lui apportera les devoirs à son tour, le temps que durera sa maladie. Mettons-nous au travail. Vous savez que l'inspecteur visite l'école aujourd'hui. Il passera dans notre classe juste après la récréation.

Où serons-nous, après la récréation, ai-je pensé. À quoi ressemblera le monde ?

Nous avons fait une dictée. Puis des multiplications à trois chiffres. Les chiffres et les lettres dansaient devant mes yeux. Si on m'avait dit que je devais décoller tout de suite pour la Lune sans même embrasser Papa ni Maman, je pense que j'aurais été exactement dans le même état. Lorsque la cloche a sonné, j'ai eu l'impression qu'un orchestre entier résonnait dans mes oreilles. L'heure la plus importante de ma vie, et de la vie de mes camarades, était arrivée.

CHAPITRE 7

Nous sommes descendus en silence, les banderoles et les pancartes cachées dans nos blousons.

Nous nous regardions tous, la peur et la joie mêlées dans nos yeux.

Seuls les CP et les CE1, qui ignoraient tout, faisaient des bruits normaux.

Monsieur Geld était déjà dans la cour, en train de discuter avec un homme en costume gris.

– C'est le même inspecteur qu'il y a deux ans, m'a soufflé Enza.

Nous restions groupés, tandis que les petits couraient déjà. Comme au ralenti, j'ai vu Paul mettre la main droite dans sa poche, en retirer un sifflet et le porter à sa bouche.

Monsieur Geld l'a vu aussi. Il est devenu tout rouge et s'est mis à hurler:

– Les sifflets sont interdits dans...

Mais il était trop tard (pour lui). En quelques secondes, nous avons déplié les banderoles et les pancartes sur lesquelles était écrit: «LE TYRAN DEHORS!», «ON VEUT UN DIRECTEUR, PAS UN DICTA-TEUR!», «IL EST INTERDIT DE FAIRE PLEURER LES MAÎTRESSES!», «JUSTICE ET HUMANITÉ POUR TOUS!»

Nous avons défilé dans toute la cour, en nous tenant par la main et en chan-tant notre hymne. Les petits ont cru que c'était un spectacle et ils se sont mis à applaudir. Au moment où nous avons chanté : «Nous faisons cette révolution (…) pour que justice soit faite», j'ai senti que toute ma peur s'était envolée. J'étais légère, et j'avais l'impression de ressentir tout le bonheur de mes cent trente camarades battre en moi. Les maîtresses qui n'étaient pas de surveillance dans la cour sont accourues, et même Sylvaine, la gardienne, les dames de service et le cuisinier. Clara avait exactement la tête de quelqu'un qui découvre une soucoupe volante dans son jardin ou un dauphin dans sa baignoire. Monsieur Geld, lui, courait dans tous les sens et nous ordonnait en criant d'arrêter «ça» immédiatement, que nous allions voir de quel bois il se chauffait et que nous serions tous punis. Mais nous nous sentions plus fort que lui, nous étions nombreux, nous avions raison et nous étions heureux.

Nathan est venu vers moi et m'a passé le porte-voix :

– Vas-y, Barbara. C'est à toi !

Je suis monté sur un banc. Paul a donné un coup de sifflet pour que tout le monde se taise.

Monsieur Geld a foncé sur moi, comme une ombre rouge et noire menaçante. Il ressemblait à un taureau dans une arène. J'ai pensé qu'il allait me donner des coups de pied, me frapper, me tirer les cheveux. Il a crié en postillonnant :

– Descends tout de suite de ce banc et suis-moi dans mon bureau avec les responsables de cette… de cette… de cette bouffonnerie, cette mascarade, cette invention de petits voyous !

L'inspecteur a fait alors une chose formidable.

Il a tiré monsieur Geld par la manche et lui a dit :

— Laissez cette petite parler, s'il vous plaît.

J'ai fermé les yeux un instant et me suis lancée :

— Depuis l'arrivée de monsieur Geld, la vie dans cette école est devenue insupportable. Nous sommes espionnés, grondés, punis, sans raison et en permanence. Nos maîtresses sont traitées comme de mauvaises élèves. Tout le monde a peur et vient à l'école en ayant mal au ventre ou à la tête. Les enfants ont des droits, et entre autres celui de pouvoir étudier en paix. Des gens se sont battus tout au long de l'Histoire pour qu'on les respecte et qu'on les considère comme des êtres humains. En France, en 1789. En Russie, en 1917. Et dans bien d'autres pays en d'autres temps encore. Nous faisons comme eux, et nous espérons que nous serons compris.

Mes camarades ont applaudi, et Clara aussi !

Ensuite, comme prévu, nous nous sommes tous allongés par terre, c'était très impressionnant, on aurait cru qu'il y avait eu un gigantesque accident. J'ai compté jusqu'à dix. Puis jusqu'à vingt. Comme il ne se passait rien, j'ai pensé que l'inspecteur avait choisi notre punition : nous laisser par terre, sans boire ni manger. J'ai entendu monsieur Geld s'étrangler dans sa cravate :

– C'est plus que je ne peux supporter !

L'inspecteur a dit alors :

— Relevez-vous, tous, et rangez-vous par classes.

Nous nous sommes exécutés. Il est passé entre nous, nous a regardés longuement, puis il m'a désignée. Et il a désigné Paul, aussi :

— Vous deux, venez avec moi. Mesdames, a-t-il ajouté en se tournant vers les maîtresses, rejoignez vos classes avec vos élèves. Il me semble que la cloche a sonné depuis un certain temps.

Nous sommes allés dans la salle de musique. Il s'est assis et nous a dit gentiment :

— Racontez-moi tout depuis le début, s'il vous plaît.

Paul m'a dit :

— Vas-y, Barbara, à toi l'honneur.

J'ai commencé :

– Sur le coup, personne n'a vraiment compris ce qui se passait. Nous étions en train de remonter en classe, juste après la cantine. Les CE2 étaient plutôt bruyants…

Nous ne lui avons rien caché. La dépression de Clara, les recherches sur Internet (523 684 réponses, monsieur !), les réunions, le nom de notre club révolutionnaire. Il nous a écoutés jusqu'au bout, attentivement, et, à la fin, il a simplement dit :

– Bien, merci. Donnez-moi vos noms et rejoignez votre classe à présent.

En classe, bien sûr, personne ne travaillait.

Clara voulait tout savoir, elle aussi, depuis le début. Elle répétait :

– Je n'en reviens pas ! Je n'en reviens pas ! Ce n'est pas possible ! Vous avez vraiment fait tout ça ?!

Ils parlaient tous à la fois. Seuls Arthur, Tom, Enza, Paul, Victor, Geoffroy et moi restions silencieux.

– Vous pensez à la même chose que moi ? a demandé Victor.

Nous avons tous hoché la tête.

Nous ne savions pas encore si nous avions réussi.

Nous n'avons pas revu monsieur Geld de la journée. Il y avait une ambiance fantastique, tout le monde se parlait, il n'y avait plus de clans, de bandes, de groupes ni d'élèves isolés. À la deuxième récré, au lieu de jouer, on s'est raconté dix fois notre 2 mai 2003, notre révolution.

Le surlendemain, juste après l'appel, Clara nous a lu une lettre de l'inspecteur.

« Aux enseignants de l'école Jean-Moulin,

Suite à ma visite parmi vous, je vous informe que monsieur Geld sera absent jusqu'à la fin de l'année. Le remplacement de madame Mervent sera assuré par madame Clara Lambert, professeur de CM2.

Transmettez mes félicitations à Barbara Muller et à Paul Odrian pour leurs connaissances en histoire.

Bien à vous,

Patrick Mitchelli,
Inspecteur d'académie. »

Nous avons crié : « Hourra, Hourra ! » et « *Viva la revolución !* »

Clara nous a embrassés, et nous a dit de garder précieusement nos pancartes, nos banderoles, le sifflet et le porte-voix.

– Pourquoi? a demandé Louise, de sa toute petite voix.

– Parce que tout le monde n'a pas la chance de faire une révolution, dans sa vie, et ça vous fera des souvenirs magnifiques...

*
* *

J'ai tenu ma promesse, et j'ai acheté à Victor un dictionnaire français-grec, avec presque tout mon argent de poche.

Avec ce qu'il restait, j'ai acheté un très beau cahier rouge, et j'y ai écrit toute notre histoire. Clara avait raison: il ne fallait pas oublier. Et un jour, peut-être, il faudra recommencer...